Pour

de la p[illegible]

Autres livres de la collection
L'amour c'est pour toujours
Pour mon mari - avec Amour
Mon grand Amour.

Un livre de Helen Exley.
Traduit par Charles de Trazegnies
Adapté par Bernadette Thomas
Les bordures sont de Juliette Clarke

12 11 10 9 8 7 6 5 4 3

ISBN 2-87388-080-5
D/ 7003/1996/16

B-1301 Bierges
Tél. : 32 (0)2 654.05.02 Fax : 32 (0)2 652 18 34

TU ME MANQUES...

CITATIONS CHOISIES PAR
HELEN EXLEY

EXLEY
PARIS, LONDRES

Tu ne peux pas savoir à quel point tu me manques. Je t'aime tant et nous ne sommes pas habitués à la séparation. Je reste éveillé quasiment toute la nuit en pensant à toi, et le jour, mes pieds me portent à ta chambre et la trouvant vide, je m'en vais, malade et triste comme un amant emprisonné.

PLINE LE JEUNE,
(1er SIÈCLE),
À SA FEMME CALPURNIA

Jolie fille, bonne fille, fille aimable, fille adorable, oh, tous ces adjectifs, Frances, pourquoi diable es-tu partie? Je sais qu'avant d'édifier un grand bâtiment, on creuse toujours un immense trou dans le sol pour les fondations mais je n'ai pas besoin qu'on creuse en moi pour assurer la structure de mon amour; il est déjà profondément enraciné; il ne mourra même pas avec moi mais il me survivra pour l'éternité et, si tu n'es pas trop endormie, cinq minutes.

OGDEN NASH (1902-1971),
LETTRE DE 1930 À FRANCES LEONARD

Il faut que je la voie et la presse contre mon coeur. Je l'aime à la folie et je ne peux pas continuer à être séparé d'elle. Si elle ne m'aime plus, il ne me restera rien sur terre.

NAPOLÉON BONAPARTE (1769-1821),
LETTRE À SON FRÈRE

L'amour est toi et l'amour est moi
L'amour est une prison et l'amour
est libre
L'amour est ce qui se passe quand
tu es loin de moi.

ADRIAN HENRI, NÉ EN 1932,
"L'AMOUR EST..."

Je vois le monde avec plus d'éclat parce que je récolte les jours pour toi. Curiosités, merveilles, quelque chose de beau, quelque chose d'étrange. Je rassemble tout cela pour toi. Et en te le partageant, je le redécouvre.

ANNELOU DUPUIS

Parfois je suis triste. Et soudain, je pense à elle. Alors je suis joyeux. Mais je redeviens triste de ce que je ne sais pas combien elle m'aime. Elle est la jeune fille à l'âme toute claire, et qui, dedans son cœur, garde avec jalousie l'unique passion que l'on donne à un seul.

FRANCIS JAMMES (1868-1938),
"TRISTESSES"

1904

Je languis de toi comme celui
Dont la barque dans les vents d'été
Est emportée à la dérive et perdue,
Et qui désire la terre et ne trouve,
Une fois de plus la boussole parle,
Que la mer grise et vide.

POEME SOMALI

Deux qui s'aiment et sont séparés,
Par l'amour sont ensemble en leurs cœurs.

STRABO (809-849)

Quand tu seras partie,
Je pense qu'il n'y aura plus de fleurs
Plus de feuilles d'érable dans le monde
Jusqu'à ce que tu me reviennes.

YANAGIWARA YASU-KO (1783-1866)

Les lieux qui sont privés de toi…
sont privés de toute vie.

DANTE GABRIEL ROSSETTI (1828-1882)

Si j'ai parlé
De mon amour, c'est à l'eau lente
Qui m'écoute quand je me penche
Sur elle ; si j'ai parlé
De mon amour, c'est au vent
Qui rit et chuchote
entre les branches;
Si j'ai parlé de mon amour,
c'est à l'oiseau
Qui passe et chante
Avec le vent;
Si j'ai parlé
C'est à l'écho.

HENRI DE REGNIER (1864-1936)

Je vois mille images de toi en une heure; elles sont toutes différentes et elles redeviennent toutes les mêmes… Et nous nous aîmons. Et nous avons acquis les secrets et les savoirs les plus stupéfiants. Noël, que j'aime, qui est si beau et merveilleux ! Je te vois mangeant une omelette à même le sol. Je te vois tout à coup te découper sur l'horizon; ou sur la colline ce dimanche matin-là. Et cette nuit fut la plus merveilleuse de toutes. La lumière et l'ombre et la quiétude et la pluie et la forêt. Et toi… Tes bras et tes lèvres et tes cheveux et tes épaules et ta voix… toi.

RUPERT BROOKE (1887-1915)

BROOKE FUT TUÉ DURANT LA PREMIERE GUERRE MONDIALE.

Je gis épuisé ici, parmi
des tribus et des régions reculées…
Et… toi, ma femme… tu occupes
plus de place dans mon coeur que ce
qui te revient. Ma voix ne prononce
que ton nom; aucune nuit, aucun
jour n'apparaît sans toi… Ton nom
est toujours sur mes lèvres
vagabondes… Parfois, les larmes
ont le poids des mots.

OVIDE (43 AV. J.-C. — 18 AP. J.-C.)

Mon Cœur, nous sommes donc grandement séparés, mais après tout, un kilomètre est aussi méchant que mille,... ce qui est une grande consolation pour qui doit en franchir 600 avant de te retrouver. Si cela peut te donner quelque satisfaction, je suis aussi mal à l'aise qu'un pèlerin qui a des petits pois secs dans ses chaussures et aussi froid que la charité, la chasteté ou n'importe quelle vertu.

LORD BYRON (1788-1824)

Des profondeurs de mon cœur heureux jaillit une grande marée d'amour et une prière pour ce trésor inestimable qui est confié à ma garde pour toute ma vie. Tu ne peux pas voir comme ses vagues intangibles déferlent vers toi, ma chérie, mais tu entendras dans ces lignes, comme si tu y étais, le grondement lointain de son ressac.

MARK TWAIN (1835-1910)
À OLIVIA LANGDON

Paris est une morgue sans toi: avant que je te connaisse, c'était Paris et je croyais que c'était le paradis; mais aujourd'hui, c'est un vaste désert de désolation et de solitude. C'est comme le cadran d'une horloge , privé de ses aiguilles.

SARAH BERNHARDT (1844-1923),
LETTRE À VICTORIEN SARDOU

Je me demande si tu lis ces gribouillages. Je pense à tes pauvres yeux et je décide de déchirer ce que j'ai écrit, puis je regarde le paysage spectral de cette superbe nuit et ne peux me résoudre à lire un misérable bouquin… Oui, comme tu le devines, Ellen, je suis sans cesse obsédé par toi en ce moment. Je suis inquiet; et l'inquiétude d'un homme signifie toujours une femme; et mon inquiétude signifie Ellen.

GEORGE BERNARD SHAW (1856-1950)
À ELLEN TERRY

POEME CHAMPETRE

Les hiboux hululaient
quand je suis allé me coucher
et quand je me suis éveillé,
les oiseaux chantaient
et je n'avais pas dormi entre-temps
car je pensais à toi.

ADRIAN HENRI, NÉ EN 1932

La lune a sombré, et les Pléiades,
Et minuit s'en est allé,
Et les heures passent, passent,
Et je suis seule dans mon lit.

SAPPHO, *VIIe siècle. av. J.-C.*

Je croiserai les bras,
quand je serai au lit
et j'essaierai d'imaginer
que tu es près de mon cœur.
Méchante petite femme
de quel droit
es-tu ailleurs ?
Combien de mots doux
je te soufflerais à l'oreille
dans la nuit paisible,
combien de baisers sacrés
je déverserais
sur tes lèvres…

NATHANIEL HAWTHORNE (1804-1864)
À SA FIANCÉE SOPHIA PEABODY

Il y a de la beauté, même sur les champs
de bataille de France, et j'ai cueilli pour toi
ces roses qui luttaient pour vivre parmi les
orties et les ronces de ce village désolé.
Comme elles ont vécu, tu dois,
quand le monde est seul et triste, vivre et
élever ton cœur et après tout, il y a de la beauté
dans cet univers troublé qui est le nôtre.

LE CAPITAINE FRED HARDMAN *À SA FEMME,*
DURANT LA PREMIERE GUERRE MONDIALE

Je suis complètement immergée dans le bonheur
de pouvoir vous voir. Rien d'autre ne compte...
Non seulement, je ne suis pas triste, mais je suis
même heureuse et tranquille. Même les plus
tendres souvenirs - toutes vos chères expressions
ou vos petits bras enlaçant l'oreiller le matin -
ne me sont pas douloureux. Je me sens toute
étreinte et soutenue par votre amour.

SIMONE DE BEAUVOIR (1908-1906)
À JEAN-PAUL SARTRE

Ne m'écris qu'une fois par semaine, de telle manière que ta lettre arrive le dimanche car je ne peux supporter tes lettres quotidiennes. Je suis incapable de les supporter. Par exemple, je réponds à une de tes lettres puis je me couche dans un calme apparent, mais mon cœur bat dans tout mon corps et il ne songe qu'à toi. Je t'appartiens; il n'y a réellement pas d'autre façon d'exprimer cela, et ce n'est pas assez fort. Et pour cette raison même, je ne veux pas savoir ce que tu portes; cela me trouble tellement que je ne parviens plus à mener ma vie…

FRANZ KAFKA (1883-1924) *À FÉLICIE BAUER*

M'as-tu oublié? Je suis l'homme à qui tu disais que tu l'aimais. Je dormais dans tes bras, t'en souviens-tu ? Mais tu n'écris jamais. Tu es peut-être indifférente à mon égard. Je ne le suis pas au tien. Je t'aime. Il n'y a pas un moment de ces jours affreux qui passent où je ne me dise: "Ce sera parfait. Je rentrerai à la maison. Caitlin m'aime. J'aime Caitlin". Mais tu as peut-être oublié. Si tu as oublié ou perdu l'affection que tu me portais, s'il te plaît, mon trésor, fais-le moi savoir. Je t'aime. Dylan.

DYLAN THOMAS (1914-1953)

Que faites-vous toute la journée,
Madame ?
Quelle affaire importante vous ôte le temps d'écrire à votre bien bon amant ?
Quelle affection étouffe et met de côté l'amour, le tendre et constant amour que vous lui avez promis ? (...)
Joséphine, prenez-y garde. Une belle nuit, les portes enfoncées, et me voilà.

NAPOLÉON BONAPARTE (1769-1821)
À JOSÉPHINE DE BEAUHARNAIS

Je n'ai pas arrêté de penser à un fauteuil conçu pour deux, devant un grand feu crépitant, la radio jouant quelque musique harmonieuse et la lumière du foyer créant des ombres sur les murs.

Un feu qui veille toute la nuit !

une querelle fiévreuse puis une douce réconciliation.

une étreinte terriblement belle, puis le refuge de tes bras, ma tête contre ta poitrine, quelque chose que je désire maintenant, un baiser qui immobilise le temps.

PAMELA MOORE

À SON FUTUR MARI CORRADO RUFFONI

Ah Dieu ! Pourquoi est-il si malaisé de distinguer des soupirants sans foi les amants sincères ? Ah ! s'ils pouvaient porter une corne au milieu du front, ces flatteurs, ces perfides ! Tout l'argent, tout l'or du monde, je le donnerais, si je l'avais, pour que ma dame sût combien je l'aime fidèlement. (...) Ah ! d'un homme ainsi conquis, une femme devrait avoir pitié !

BERNARD DE VENTADOUR, XIIe SIÈCLE

Je n'ai pas passé un jour sans vous aimer; je n'ai pas passé une nuit sans vous enlacer; je n'ai pas non plus bu une seule tasse de thé sans maudire la fierté et l'ambition qui me forcent à rester séparé du moteur de ma vie. Au centre de mes charges, que je sois à la tête de mon armée ou inspectant les camps, ma bien-aimée Joséphine se tient seule dans mon cœur, occupe mon esprit et remplit mes pensées.

NAPOLÉON BONAPARTE (1769-1821)
À JOSÉPHINE DE BEAUHARNAIS

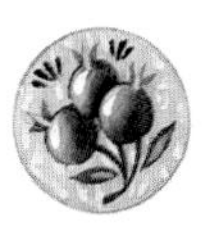

… Des cieux élevés rendent les filles langoureuses.
C'est comme être trop éloigné de la lumière,
loin de la chaleur des bras familiers…

TEXTE ÉGYPTIEN, *"MON AMOUR POUR TOI EST PROFONDÉMENT ANCRÉ EN MOI"*

Quoi que je fasse, où que j'aille, quoi que je projette de faire, tu es là. J'essaie de te persuader d'attendre patiemment sur les bords de mon esprit, mais tu m'envahis. Tu es dans l'air même: je te rencontre à chaque tournant.

ODILE DORMEUIL

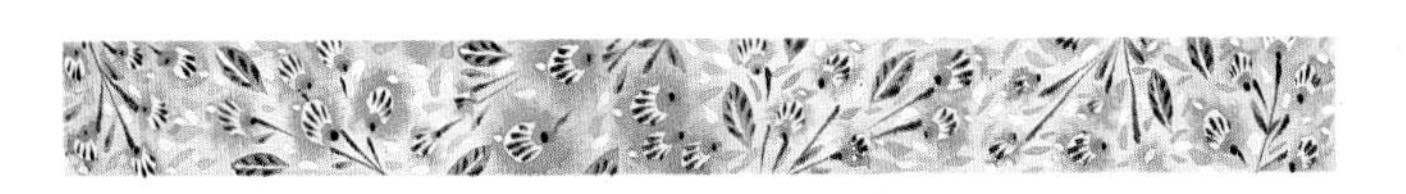

Je ne savais pas
à quel point l'obscurité pouvait être
grande et trompeuse,
et froide la lumière.

Je déambule
dans l'attente d'un bruit de clé,
vers un fauteuil, un chat,
vers la préparation d'une tasse de thé.
Quel compromis m'est la vie
jusqu'au moment où tu me reviendras.

LISA ROCHAMBEAU-LAPIERRE

Le départ est amer, les pleurs sont vains,
Tous les vrais amoureux se retrouveront,
Et rien ne peut me séparer de mon amour,
Car son cœur est le fleuve et le mien la mer.

CHANT IRLANDAIS

Même les nuits où je dors seul
Je place les oreillers côte à côte :
L'un est mon amour,
Je dors en le tenant contre moi.

CHANT POPULAIRE JAPONAIS

La brise souffle
Vers la vaste mer de Turanga,
Tu es loin, ma chérie
Mon amour vole vers toi.

Mon amour tombe comme la pluie
Sur la vaste mer de Turanga
Je suis abandonné ici
avec l'amour que j'ai pour toi.

CHANT MAORI

Peut-être un jour sa voix tendre et voilée
M'appellera sous de jeunes cyprès;
Cachée alors au fond de la vallée,
Plus heureuse que lui, j'entendrai ses regrets.

Lentement, des coteaux, je le verrai descendre;
Quand il croira ses pas et ses voeux superflus,
Il pleurera ! Ses pleurs rafraîchiront ma cendre;
Enchaînée à ses pieds, je ne le fuirai plus.

Je ne le fuirai plus ! Je l'entendrai; mon âme,
Brûlante autour de lui, voudra sécher ses pleurs;
Et ce timide accent, qui trahissait ma flamme,
Il le reconnaîtra dans le doux bruit des fleurs.

MARCELINE DESBORDES-VALMORE (1785-1859),
"ELÉGIE"

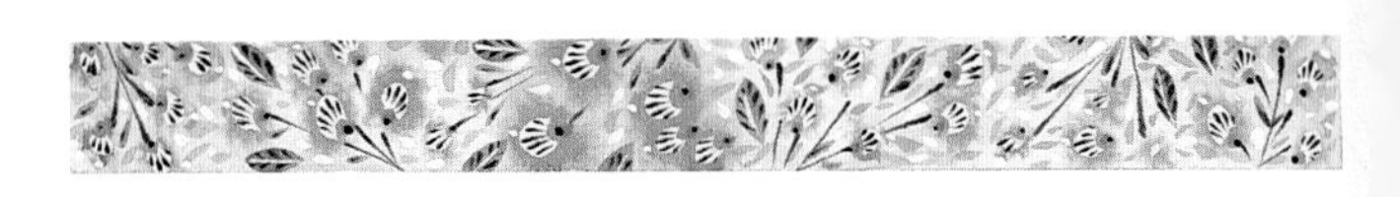

Elle viendra ce soir ; elle me l'a promis.
Tout est bien prêt. Je viens d'éloigner mes amis,
De brûler des parfums, d'allumer les bougies
Et de jeter au feu les fades élégies
Que j'ai faites alors qu'elle ne venait pas :
Et j'attends ? Tout à l'heure, elle viendra. Son pas
Retentira léger comme un pas de gazelle
Et déjà ce seul bruit me paiera de mon zèle.
Elle entrera troublée et voilant sa pâleur.
Nous nous prendrons les mains et la douce chaleur
De la chambre fera sentir bon sa toilette
O les premiers baisers à travers sa voilette.

FRANÇOIS COPPÉE (1842-1908)

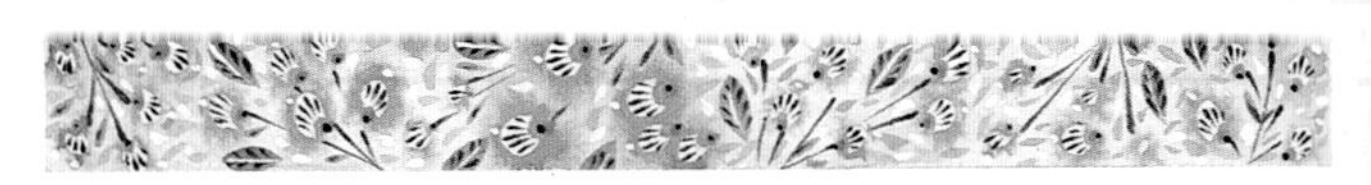

J'ai peur de ne pouvoir m'habituer à ce vide. Te souviens-tu comme je te disais souvent que je ne croyais pas réellement t'avoir? Tous les matins, quand je m'éveillais, c'était avec une stupeur glorieuse de constater que je t'avais vraiment et de voir ta tête sur l'oreiller voisin et d'étendre la main et de te toucher. Aujourd'hui, c'est exactement le contraire. Quand je m'éveille, je ne parviens pas à croire que tu n'es pas là; je ne peux pas regarder l'encadrement de la porte sans penser que tu vas y passer en ce moment, je ne peux pas entrer dans une pièce sans t'y trouver assise... Et en même temps, je sais que cela ne peut pas être, et ma chérie, ma chérie, c'est une prise de conscience épouvantable.

OGDEN NASH (1902-1971),
LETTRE DE 1935 À SA FEMME

L'absence est une sorte de mort brève.

ALEXANDER POPE (1688-1744)

Seules trois choses sont infinies: le ciel en ses étoiles, la mer en ses gouttes d'eau et le coeur en ses larmes.

GUSTAVE FLAUBERT (1821-1880)

Je ne peux ni manger ni dormir, car je pense à vous, mon très cher amour, je ne touche même plus au pudding.

HORATIO NELSON (1758-1805)
À LADY EMMA HAMILTON

Mon bien-aimé s'en fut chercher l'amour
Dès le matin parmi les fleurs écloses.
Pour le trouver, il effeuillait les roses
Couleur du soir, de l'aurore et du jour.
Mon bien-aimé n'a pas trouvé l'amour.

Je l'attendais, pâle et grise lavande,
Et tout mon cœur embaumait son chemin.
Il a passé ... j'ai parfumé sa main
Mais il n'a pas vu mes yeux pleins d'offrande.

Vent du ciel ! Vent du ciel ! Eparpille mon cœur !
Je n'en ai plus besoin. O brise familière,
Perds-le ! Dessèche en moi ma source, éteins ma fleur
O vent et dans la mer va jeter ma poussière.

MARIE NOEL (1883-1967), *"CHANSON"*

… Je baise votre lettre. Je suis sûr que ce pauvre papier souffre de mon idolâtrie, ce papier qui, comme je le presse continuellement contre ma poitrine, finira par être brûlé et martyrisé dans les flammes de l'adoration qu'il a fait naître en moi.

JOHN DRYDEN
(1631-1700),
À SA COUSINE HONOR DRYDEN

Tu dis que tu ressens très fortement mon absence et que ton seul bien-être quand je ne suis pas là, est de garder mes écrits dans ta main et, souvent, de les déposer à ma place à côté de toi. J'aime penser que je te manque et cette sorte de consolation me soulage. Moi aussi, je lis sans cesse tes lettres et j'y reviens constamment comme si elles étaient neuves, mais cela ne fait qu'attiser le feu de mon désir de toi. Si tes lettres me sont si chères, tu peux imaginer à quel point je suis heureux en ta compagnie; écris-moi aussi souvent que tu le peux, bien que tu me donnes ainsi plaisir et peine à la fois.

PLINE LE JEUNE (1ER SIÈCLE)
À SA FEMME CALPURNIA

Au nom du ciel une réponse ! Que risquez-vous pour un jour et demi ? Que je vous voie ! Je ne vous parlerai de rien. Vous ne savez pas dans quel état je suis. J'ai à peine la force de ne pas m'évanouir. En vous voyant je serai bien. Laissez-moi la force de me remettre par votre présence. N'accablez pas un homme qui ne vous a pas fait de mal et qui était pourtant un homme distingué il y a peu de temps. Un mot, un quart d'heure, au nom de Dieu !

BENJAMIN CONSTANT (1767-1830)
À JULIETTE RÉCAMIER

Je reviendrai vivant et aussi profondément

amoureux qu'un cormoran qui plonge,

qu'une anémone qui grandit, que Neptune

qui souffle, que la mer est profonde.

DYLAN THOMAS (1914-1953)
À SA FEMME CAITLIN

Mon amour, mon ange, tu es parti. Tu as été capable de partir et de m'abandonner pour six mois! Non, je ne résisterai jamais à l'ennui d'une si longue absence. Elle n'a duré que quatre heures et elle m'est déjà insupportable.

MADAME D'EPINAY
À SON MARI

CET APRES-MIDI...

Je ne puis chasser ce bel après-midi de mon esprit ; au-dessus de moi où j'étais étendue, l'herbe se détachait sur le bleu du ciel, de petits nuages se précipitaient, poussés par le vent dans un voyage sans fin. Près de moi se trouvait le plus aimable de tous; tes doux cheveux contre ma joue, tes baisers si frais et surnaturels, et mon bonheur était si grand.

JULIA LEE-BOOKER
À SON FUTUR MARI, LE LIEUTENANT PAT MCSWINEY, EN 1940

Remerciements: les éditeurs remercient pour l'autorisation de reproduire leurs textes couverts par un copyright : SIMONE DE BEAUVOIR: extrait de *"Lettres à Sartre"*, éditions Gallimard, 1990. Robert GRAVES: *"La Porte"*, extrait de *"Collected Poems"*, publié par Cassell, © Robert Graves 1965; COLONEL FRED HARDMAN: reproduit avec l'autorisation des détenteurs des droits des papiers du colonel F. Hardman, M.C. T.D., J.P. et le Musée impérial de la Guerre; ADRIAN HENRI: extrait de *"Collected poems 1967-1985"*, Allison et Ausby, 1986 © Adrian Henri 1986. Reproduit avec l'autorisation de l'auteur c/o Rogers, Coleridge et White Ltd, 20 Powis Mews, Londres W11 1JN; JULIA LEEBOOKER: extrait de *"Forces Sweethearts"* par Joanna Lumley, publié par Bloomsbury Publishing, 1993; OGDEN NASH: extrait de *"Lettres d'amour d'Ogden Nash"*, publié par Little, Brown and Company, © 1990 Isabel Nash Eberstadt et Linell Nash Smith; GEORGE BERNARD SHAW: extrait de *"Ellen Terry et Bernard Shaw"*, publié par Max Reinhardt, Londres 1931; DYLAN THOMAS: extrait de *"Correspondance de Dylan Thomas"*, édité par Paul Ferris, publié par J.M. Dent and Co. © 1957, 1966 et 1985, les administrateurs des droits de Dylan Thomas. Reproduit avec l'autorisation de David Higham Associates.
Crédits photographiques: les Editions Exley expriment leur gratitude aux personnes et aux organisations suivantes pour l'autorisation de reproduire leurs tableaux : Archiv fur Kunst (AKG), Chris Beetle's Gallery (CB), Scala (SCA), Couverture: Henry